EazyChinese Textbook Series Writing Committee

《易达汉语系列教材》编委会

策划 / 主编 Series Designers & Chief Authors：

达世平 Da Shiping　　达婉中 Wendy Da

编写委员会　Writing & Editing Committee：

（按姓氏笔画排列）

田松青 Tian Songqing

史舒薇 Shi Shuwei

达婉中 Wendy Da

张新明 Zhang Xinming

范江萍 Fan Jiangping

翁敏华 Weng Minhua

章悦华 Susan Zhang

史良昭 Shi Liangzhao

达世平 Da Shiping

李祚唐 Li Zuotang

余建军 Jean Yu

高云峰 Gao Yunfeng

黄亚卓 Huang Yazhuo

英文审定 English Editors： Dr. David Surowski

Dr. Holly Jacobs

插图绘制 Illustrator： 严克勤　Yan Keqin

EazyChinese

EazyChinese Textbook Series

我的
汉语小词典
My Mini Chinese Dictionary

主编：达婉中　达世平
Chief Authors: Wendy Da, Da Shiping

北京语言大学出版社
BEIJING LANGUAGE AND CULTURE
UNIVERSITY PRESS

(京)新登字157号

图书在版编目(CIP)数据

我的汉语小词典 = My Mini Chinese Dictionary/达世平，达婉中主编；易达汉语编辑委员会编．—北京：北京语言大学出版社，2007重印
(易达汉语系列教材)
ISBN 978-7-5619-1873-9

Ⅰ．我…　Ⅱ．①达…②达…③易…　Ⅲ．汉语-词典
Ⅳ．H164

中国版本图书馆CIP数据核字（2007）第072664号

书　　名：我的汉语小词典
责任印制：汪学发

出版发行：北京语言大学出版社
社　　址：北京市海淀区学院路15号　邮政编码：100083
网　　址：www.blcup.com
电　　话：发行部　82303650/3591/3651
　　　　　编辑部　82303647
　　　　　读者服务部　82303653/3908
印　　刷：北京新丰印刷厂
经　　销：全国新华书店

版　　次：2007年5月第1版　2007年11月第2次印刷
开　　本：787毫米×1092毫米　1/16　印张：6
字　　数：72千字　印数：3001-8000册
书　　号：ISBN 978-7-5619-1873-9/H·07092
　　　　　02500

凡有印装质量问题，本社负责调换。电话：82303590

编者的话

《我的汉语小词典》是《易达汉语系列教材》之一，与《我的部首小字典》同属“我的……”自我积累的练习型词典系列。

小词典精选了600多个日常生活中使用频率很高的词语，词典中的词汇分成4大类，20多个小类，所有词语注有拼音和英文释义，并附有描红练习，初学者可以按类别集中学习。集中、快速掌握这些词汇，将有益于他们在日常生活中的交流，为以后的进一步学习打下基础。

每类词语后面留有一定的空间，可让学生填入自己学到的其他同类词语。这样，每个学生可以根据自己的情况“编写”出一本具有个人特点的小词典。这种设计注重学习者的主动性和独创性，更容易激发学习者的学习兴趣。

本词典还附有一些插图，学习者可以用所学的词语描述插图中的内容，做到学以致用，更便于在语境中掌握词语的用法。

书后附有英文索引和拼音索引，便于查阅检索。

本书可以独立使用，也可以配合《易达汉语系列教材》中的其他教材使用，以取得更为显著的学习效果。

From the authors

My Mini Chinese Dictionary, together with *My Mini Radical Dictionary*, which belong to the *EazyChinese Textbook Series*, are exercise based dictionaries for students to independently learn Chinese in an accumulative way.

The book chooses more than 600 words that are used most frequently in daily life, and organizes them into four categories and more than 20 sub-categories. All the words have *pinyin*, English explanation and stroke-tracing exercises. For beginning learners, mastering these words will enable them to get around in their daily life, and will help them build a solid foundation for further studies.

There is blank space in each category for users to fill in new words they've learned, so that they can "compile" a dictionary of their own, which will greatly stimulate their interest in learning more characters.

Illustrations are provided so learners can look at the picture and practice through which they can better master the usage of words in a real-life context. Furthermore, there are English and *pinyin* indexes for quick and easy referencing.

The book can be used independently, or together with other books in the *EazyChinese Textbook Series* to achieve better effect.

Contents
目 录

与人有关 Human Related

与自然有关 Nature Related

与物有关 Manmade Related

其他 Others

Human Related
与人有关

1. 人体 Human Body

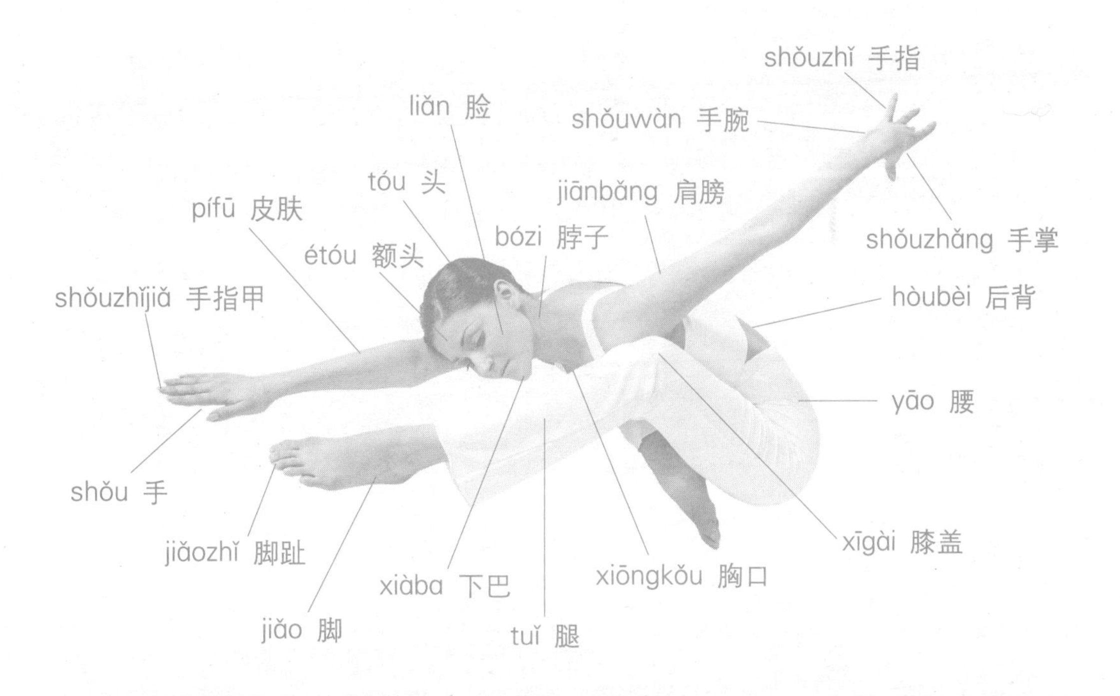

	拼音	中文	英文	描	红
1	shǒu	手	hand	手	手
2	shǒuzhǎng	手掌	palm	手掌	手掌
3	shǒuzhǐ	手指	finger	手指	手指
4	shǒuzhǐjiǎ	手指甲	fingernail	手指甲	手指甲
5	shǒuwàn	手腕	wrist	手腕	手腕
6	jiānbǎng	肩膀	shoulder	肩膀	肩膀

7	xiōngkǒu	胸口	chest	胸口	胸口
8	hòubèi	后背	back	后背	后背
9	yāo	腰	waist	腰	腰
10	tuǐ	腿	leg	腿	腿
11	xīgài	膝盖	knee	膝盖	膝盖
12	jiǎo	脚	foot / feet	脚	脚
13	jiǎozhǐ	脚趾	toe	脚趾	脚趾
14	pífū	皮肤	skin	皮肤	皮肤

2. 器官 Parts of the Body

	拼音	中文	英文	描	红
1	tóu	头	head	头	头
2	tóufa	头发	hair	头发	头发
3	étóu	额头	forehead	额头	额头
4	méimao	眉毛	eyebrow	眉毛	眉毛
5	yǎnjing	眼睛	eye	眼睛	眼睛
6	ěrduo	耳朵	ear	耳朵	耳朵
7	bízi	鼻子	nose	鼻子	鼻子
8	zuǐ	嘴	mouth	嘴	嘴
9	shétou	舌头	tongue	舌头	舌头
10	yá	牙	tooth/teeth	牙	牙
11	xiàba	下巴	chin	下巴	下巴
12	bózi	脖子	neck	脖子	脖子
13	xīn	心	heart	心	心
14	gān	肝	liver	肝	肝
15	fèi	肺	lung	肺	肺
16	wèi	胃	stomach	胃	胃
17	dùzi	肚子	belly	肚子	肚子

3. 心理情感　Emotions

他们心情怎么样？　How do they feel?

	拼音	中文	英文	描红	
1	kuàilè	快乐	joy / joyful	快乐	快乐
2	xìngfú	幸福	happy / happiness	幸福	幸福
3	jīngxǐ	惊喜	surprise and joy	惊喜	惊喜
4	jīdòng	激动	exciting	激动	激动
5	xiǎngshòu	享受	enjoy	享受	享受
6	yǒuqù	有趣	interesting	有趣	有趣
7	fàngsōng	放松	relaxed	放松	放松
8	jǐnzhāng	紧张	nerves / nervous	紧张	紧张

9	shēng qì	生气	angry / anger	生气	生气
10	hàipà	害怕	scared	害怕	害怕
11	shāng xīn	伤心	sad /sadness	伤心	伤心
12	dān xīn	担心	worry	担心	担心

4. 行为 Human Actions

他们在干什么？ What are they doing?

	拼音	中文	英文	描	红
1	chuī	吹	blow	吹	吹
2	hūxī	呼吸	breath	呼吸	呼吸
3	hē shuǐ	喝水	drinking water	喝水	喝水
4	chī fàn	吃饭	eating	吃饭	吃饭
5	chàng gē	唱歌	sing /singing	唱歌	唱歌
6	jiàohǎn	叫喊	yell / yelling	叫喊	叫喊
7	tīng	听	listen	听	听

8	tīng yīnyuè	听音乐	listen to the music	听音乐	听音乐
9	jiǎng huà	讲话	speak / speaking	讲话	讲话
10	tán huà	谈话	talk / talking	谈话	谈话
11	tǎolùn	讨论	discussion / discuss	讨论	讨论
12	shuō xiàohua	说笑话	tell jokes	说笑话	说笑话
13	liáo tiān	聊天	chat	聊天	聊天
14	kū	哭	cry / crying	哭	哭
15	wēixiào	微笑	smile / smiling	微笑	微笑
16	kàn bàozhǐ	看报纸	read newspaper	看报纸	看报纸

Hand / Leg Actions

	拼音	中文	英文	描红
1	dài	带	carry	带 带
2	līn	拎	carry	拎 拎
3	zhuā	抓	grab	抓 抓
4	bào	抱	hug	抱 抱
5	guà	挂	hung	挂 挂
6	jiǎn	捡	pick up	捡 捡
7	lā	拉	pull / pulling	拉 拉
8	tuī	推	push / pushing	推 推
9	yáo	摇	row	摇 摇

10	ná	拿	take	拿 拿
11	rēng	扔	throw	扔 扔
12	jǔ	举	lift	举 举
13	shuǎi	甩	swing	甩 甩
14	gěi	给	give	给 给
15	diū	丢	drop	丢 丢
16	tiào	跳	jump /jumping	跳 跳
17	tiào wǔ	跳舞	dance / dancing	跳舞 跳舞
18	pǎo	跑	run / running	跑 跑
19	tī	踢	kick	踢 踢
20	pèng	碰	touch	碰 碰
21	diēdǎo	跌倒	fall / falling	跌倒 跌倒
22	qù	去	go / going	去 去
23	zǒu	走	walk	走 走

General Actions

	拼音	中文	英文	描	红
1	jiè	借	borrow	借	借
2	mǎi	买	buy	买	买
3	pá	爬	climb	爬	爬
4	gài	盖	cover	盖	盖
5	zuò	坐	sit	坐	坐
6	děng	等	wait	等	等
7	tíng	停	stop	停	停
8	shàng xué	上学	go to school	上学	上学
9	xuéxí	学习	study	学习	学习

10	fùxí	复习	review	复习	复习
11	shàng bān	上班	go to work	上班	上班
12	kāi huì	开会	have a meeting	开会	开会
13	gòu wù	购物	shop	购物	购物
14	chūshòu	出售	sell	出售	出售
15	tuìhuí	退回	return	退回	退回
16	bāozhuāng	包装	wrap	包装	包装
17	bān jiā	搬家	move house	搬家	搬家
18	kāi chē	开车	driving	开车	开车
19	dǎsǎo	打扫	clean	打扫	打扫
20	jiǎnchá	检查	check	检查	检查
21	shàng wǎng	上网	get online	上网	上网
22	liánjiē	连接	connect	连接	连接
23	shōucáng	收藏	collect	收藏	收藏
24	mìnglìng	命令	order	命令	命令
25	tǎngxià	躺下	lie down	躺下	躺下

26	guò shēngrì	过生日	have a birthday party	过生日　过生日

27	dǎ diànhuà	打电话	make phone calls	打电话　打电话

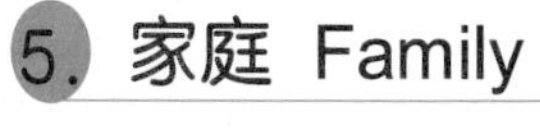

5. 家庭 Family

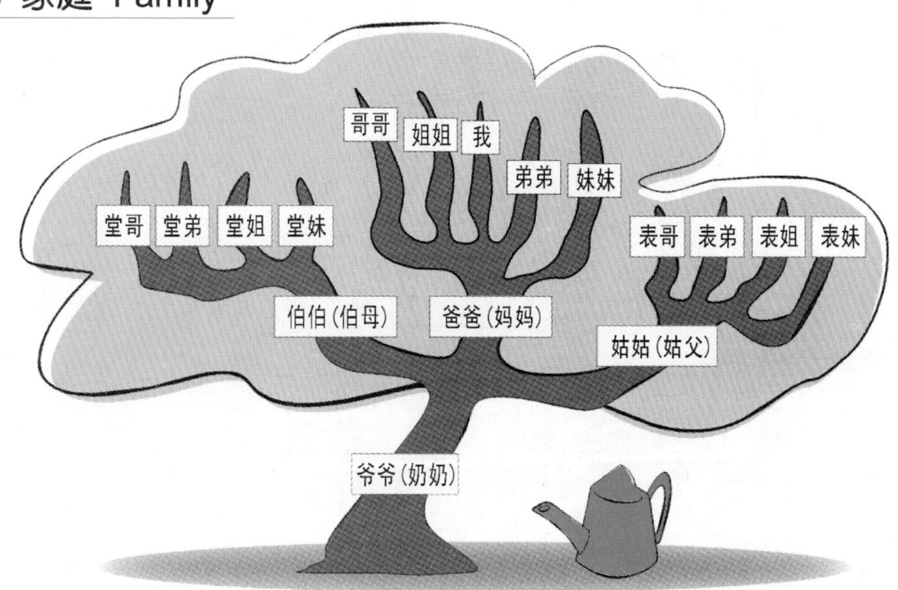

你能画一张妈妈家的家族树吗？
Can you draw a family tree of your mom’s family?

	拼音	中文	英文	描	红
1	yéye	爷爷	(paternal) grandpa	爷爷	爷爷
2	nǎinai	奶奶	(paternal) grandma	奶奶	奶奶
3	lǎoye	姥爷	(maternal) grandpa	姥爷	姥爷
4	lǎolao	姥姥	(maternal) grandma	姥姥	姥姥
5	wàigōng	外公	(maternal) grandpa	外公	外公
6	wàipó	外婆	(maternal) grandma	外婆	外婆
7	bàba	爸爸	papa / father	爸爸	爸爸
8	māma	妈妈	mom / mother	妈妈	妈妈

9	gēge	哥哥	elder brother	哥哥	哥哥
10	jiějie	姐姐	elder sister	姐姐	姐姐
11	dìdi	弟弟	younger brother	弟弟	弟弟
12	mèimei	妹妹	younger sister	妹妹	妹妹
13	jiùjiu	舅舅	uncle	舅舅	舅舅
14	shūshu	叔叔	uncle	叔叔	叔叔
15	āyí	阿姨	aunt	阿姨	阿姨
16	yímā	姨妈	aunt	姨妈	姨妈

6. 职业 Professions

	拼音	中文	英文	描	红
1	dǎoyǎn	导演	director	导演	导演
2	yǎnyuán	演员	actor/actress	演员	演员
3	yīshēng	医生	doctor	医生	医生
4	sījī	司机	driver	司机	司机
5	lǜshī	律师	lawyer	律师	律师
6	kuàijì	会计	accountant	会计	会计
7	jǐngchá	警察	policeman	警察	警察
8	jìzhě	记者	reporter	记者	记者
9	mìshū	秘书	secretary	秘书	秘书
10	zuòjiā	作家	writer/author	作家	作家
11	lǎoshī	老师	teacher	老师	老师
12	xuésheng	学生	student	学生	学生
13	dàxuéshēng	大学生	undergraduate student	大学生	大学生

14	jīnglǐ	经理	manager	经理 经理
15	zǒngcái	总裁	president	总裁 总裁
16	xiàozhǎng	校长	principal	校长 校长
17	yòngrén	佣人	maid	佣人 佣人
18	jiànzhùshī	建筑师	architect	建筑师 建筑师
19	yìshùjiā	艺术家	artist	艺术家 艺术家
20	wǔdǎojiā	舞蹈家	dancer	舞蹈家 舞蹈家
21	shèjìshī	设计师	designer	设计师 设计师
22	jiēxiànyuán	接线员	operator	接线员 接线员
23	shèyǐngshī	摄影师	photographer	摄影师 摄影师
24	gāngqínjiā	钢琴家	pianist	钢琴家 钢琴家

25	kēxuéjiā	科学家	scientist	科学家 科学家
26	shìyànyuán	试验员	technician	试验员 试验员
27	dǒngshì- zhǎng	董事长	chairman	董事长 董事长
28	měishù shèjìshī	美术 设计师	graphic designer	美术 美术 设计师 设计师

7. 体育 Sports

他们在做什么？
What are they doing?

	拼音	中文	英文	描 红
1	lánqiú	篮球	basketball	篮球 篮球
2	zúqiú	足球	soccer	足球 足球
3	páiqiú	排球	volleyball	排球 排球
4	wǎngqiú	网球	tennis	网球 网球
5	bīngqiú	冰球	ice hockey	冰球 冰球
6	pīngpāngqiú	乒乓球	ping pong	乒乓球 乒乓球
7	gǎnlǎnqiú	橄榄球	football	橄榄球 橄榄球
8	gāo'ěrfūqiú	高尔夫球	golf	高尔夫球 高尔夫球

9	tiàoshuǐ	跳水	diving	跳水	跳水
10	tiàogāo	跳高	high jump	跳高	跳高
11	tiàoyuǎn	跳远	long jump	跳远	跳远
12	tiào shéng	跳绳	rope skipping	跳绳	跳绳
13	chángpǎo	长跑	long-distance race	长跑	长跑
14	mǎlāsōng	马拉松	marathon	马拉松	马拉松
15	kuàlán	跨栏	hurdle	跨栏	跨栏
16	tiánjìng	田径	athletics	田径	田径
17	huá xuě	滑雪	skiing	滑雪	滑雪
18	yóuyǒng	游泳	swimming	游泳	游泳

小白兔在做什么？ What is the bunny doing?

19	hànbīng	旱冰	roller skating	旱冰	旱冰
20	pānyán	攀岩	rock climbing	攀岩	攀岩
21	shèjī	射击	fire	射击	射击
22	tǐcāo	体操	gym	体操	体操
23	qí mǎ	骑马	horseback riding	骑马	骑马
24	huá chuán	划船	rowing	划船	划船
25	fānchuán	帆船	sailing	帆船	帆船
26	qí zìxíngchē	骑自行车	cycling	骑自行车 骑自行车	

8. 问候 Greeting

	拼音	中文	英文	描	红
1	nǐ hǎo	你好	Hello.	你好	你好
2	zǎoshang hǎo	早上好	Good morning!	早上好	早上好
3	wǎnshang hǎo	晚上好	Good evening!	晚上好	晚上好
4	zàijiàn	再见	Good bye.	再见	再见
5	xièxie	谢谢	Thank you.	谢谢	谢谢
6	bú kèqi	不客气	You're welcome.	不客气	不客气
7	duìbuqǐ	对不起	Sorry!	对不起	对不起

8	méi guānxi	没关系	Never mind.	没关系 没关系
9	qǐng jìn	请进	Please come in.	请进 请进
10	qǐng zuò	请坐	Please sit down.	请坐 请坐
11	hǎo ba	好吧	OK.	好吧 好吧

Nature Related
与自然有关

1. 天文 Weather

★你能看图说一段话吗？

Please say one sentence about each picture.

	拼音	中文	英文	描	红
1	chūntiān	春天	spring	春天	春天
2	xiàtiān	夏天	summer	夏天	夏天
3	qiūtiān	秋天	autumn	秋天	秋天
4	dōngtiān	冬天	winter	冬天	冬天
5	yún	云	cloud	云	云
6	wù	雾	fog	雾	雾

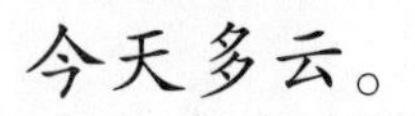

今天多云。

明天会下雨。

看，闪电！

7	shuāng	霜	frost	霜	霜
8	yǔ	雨	rain	雨	雨
9	xuě	雪	snow	雪	雪
10	fēng	风	wind	风	风
11	léi	雷	thunder	雷	雷
12	bīng	冰	ice	冰	冰
13	lùzhū	露珠	dew	露珠	露珠
14	xiǎo yǔ	小雨	drizzle	小雨	小雨
15	bīngbáo	冰雹	hail	冰雹	冰雹

今天是晴天。

今天有大风。

16	táifēng	台风	hurricane	台风	台风
17	shǎndiàn	闪电	lightning	闪电	闪电
18	hǎixiào	海啸	tsunami	海啸	海啸
19	shāchénbào	沙尘暴	sandstorm	沙尘暴	沙尘暴
20	lóngjuǎnfēng	龙卷风	tornado	龙卷风	龙卷风
21	tàiyáng	太阳	sun	太阳	太阳
22	tiānkōng	天空	sky	天空	天空

2. 地理 Earth

	拼音	中文	英文	描 红
1	shān	山	hill/ mountain	山 山
2	shuǐ	水	water	水 水
3	tǔ	土	dirt	土 土
4	huǒ	火	fire	火 火
5	hé	河	river	河 河
6	hǎi	海	sea	海 海

7	hú	湖	lake	湖	湖
8	làng	浪	wave	浪	浪
9	ní	泥	mud	泥	泥
10	gǔ	谷	valley	谷	谷
11	Cháng Jiāng	长江	Yangtze River	长江	长江
12	Huáng Hé	黄河	Yellow River	黄河	黄河
13	chítáng	池塘	pond	池塘	池塘
14	quánshuǐ	泉水	spring	泉水	泉水
15	shítou	石头	stone	石头	石头
16	yánshí	岩石	rock	岩石 岩石	
17	tǔrǎng	土壤	soil	土壤	土壤
18	huǒshān	火山	volcano	火山	火山
19	shātān	沙滩	beach	沙滩	沙滩
20	xiǎo xī	小溪	creek	小溪	小溪
21	huīchén	灰尘	dust	灰尘	灰尘
22	dìzhèn	地震	earthquake	地震	地震

3. 水果 Fruits

	拼音	中文	英文	描红	
1	lí	梨	pear	梨 梨	
2	xiāngjiāo	香蕉	bananas	香蕉 香蕉	
3	píngguǒ	苹果	apple	苹果	苹果
4	bōluó	菠萝	pineapple	菠萝	菠萝
5	cǎoméi	草莓	strawberry	草莓 草莓	
6	lánméi	蓝莓	blueberry	蓝莓	蓝莓
7	xīguā	西瓜	watermelon	西瓜 西瓜	
8	mùguā	木瓜	papaya	木瓜	木瓜
9	báiguā	白瓜	white melon	白瓜	白瓜

10	táozi	桃子	peach	桃子 桃子	
11	chéngzi	橙子	orange	橙子	橙子
12	lǐzi	李子	plum	李子	李子
13	yīngtáo	樱桃	cherry	樱桃	樱桃
14	pútáo	葡萄	grape	葡萄 葡萄	
15	shíliu	石榴	guava	石榴	石榴
16	shānzhā	山楂	hawthorn	山楂	山楂

4. 植物 Plants

	拼音	中文	英文	描	红
1	huā	花	flower	花	花
2	cǎo	草	grass	草	草
3	shù	树	tree	树 树	
4	yèzi	叶子	leaf	叶子	叶子
5	shùzhī	树枝	branch	树枝	树枝
6	héhuā	荷花	lotus flower	荷花	荷花
7	méiguī	玫瑰	rose	玫瑰	玫瑰
8	chújú	雏菊	daisy	雏菊	雏菊
9	zhúzi	竹子	bamboo	竹子 竹子	
10	sēnlín	森林	forest	森林	森林

Vegetables

	拼音	中文	英文	描	红
1	cōng	葱	onion	葱	葱
2	jiāng	姜	ginger	姜	姜
3	suàn	蒜	garlic	蒜 蒜	
4	dòu	豆	beans	豆	豆
5	dòuyá	豆芽	bean sprouts	豆芽	豆芽
6	tǔdòu	土豆	potato	土豆	土豆
7	fānqié	番茄	tomato	番茄 番茄	
8	nánguā	南瓜	pumpkin	南瓜	南瓜
9	sīguā	丝瓜	sponge cucumber	丝瓜	丝瓜
10	qiézi	茄子	eggplant	茄子	茄子

11	mógū	蘑菇	mushroom	蘑菇	蘑菇
12	làjiāo	辣椒	pepper	辣椒 辣椒	
13	húluóbo	胡萝卜	carrot	胡萝卜	胡萝卜
14	xīlánhuā	西兰花	broccoli	西兰花	西兰花
15	yuánbáicài	圆白菜	cabbage	圆白菜	圆白菜
16	huāyēcài	花椰菜	cauliflower	花椰菜	花椰菜
17	dàbáicài	大白菜	Chinese cabbage	大白菜 大白菜	
18	xuěwāndòu	雪豌豆	snow pea	雪豌豆	雪豌豆

5. 动物 Animals

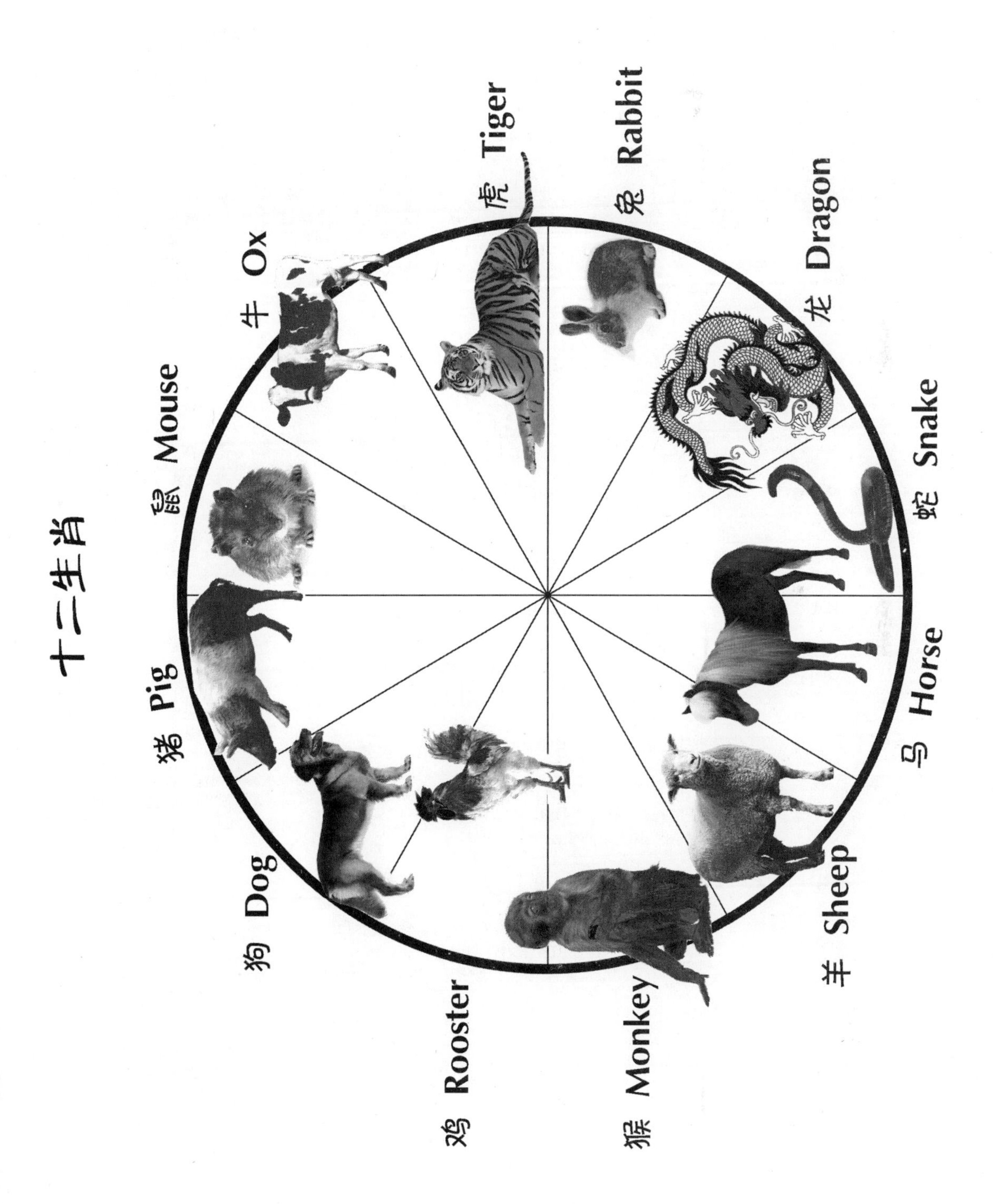
十二生肖
鼠 Mouse
牛 Ox
虎 Tiger
兔 Rabbit
龙 Dragon
蛇 Snake
马 Horse
羊 Sheep
猴 Monkey
鸡 Rooster
狗 Dog
猪 Pig

	拼音	中文	英文	描 红
1	xióng	熊	bear	熊 熊
2	niǎo	鸟	bird	鸟 鸟
3	māo	猫	cat	猫 猫
4	jī	鸡	chicken	鸡 鸡
5	lǘ	驴	donkey	驴 驴
6	gǒu	狗	dog	狗 狗
7	lóng	龙	dragon	龙 龙
8	é	鹅	goose	鹅 鹅
9	mǎ	马	horse	马 马
10	zhū	猪	pig	猪 猪
11	shé	蛇	snake	蛇 蛇
12	láng	狼	wolf	狼 狼

13	húdié	蝴蝶	butterfly	蝴蝶	蝴蝶
14	máochóng	毛虫	caterpillar	毛虫	毛虫
15	cāngying	苍蝇	fly	苍蝇	苍蝇
16	wénzi	蚊子	mosquito	蚊子	蚊子
17	tiān'é	天鹅	swan	天鹅	天鹅
18	lǎohǔ	老虎	tiger	老虎	老虎
19	shīzi	狮子	lion	狮子 狮子	
20	bàozi	豹子	leopard	豹子	豹子
21	gōngyáng	公羊	ram	公羊	公羊
22	shānyáng	山羊	goat	山羊 山羊	
23	miányáng	绵羊	sheep	绵羊	绵羊
24	dàxiàng	大象	elephant	大象	大象
25	húli	狐狸	fox	狐狸	狐狸
26	bānmǎ	斑马	zebra	斑马	斑马

27	hóuzi	猴子	monkey	猴子	猴子
28	tùzi	兔子	rabbit	兔子	兔子
29	gōngniú	公牛	ox	公牛	公牛
30	nǎiniú	奶牛	cow	奶牛	奶牛
31	gōngjī	公鸡	rooster	公鸡	公鸡
32	yāzi	鸭子	duck	鸭子	鸭子
33	lǎoshǔ	老鼠	rat / mouse	老鼠	老鼠
34	lǎoyīng	老鹰	eagle	老鹰	老鹰
35	luòtuo	骆驼	camel	骆驼 骆驼	
36	chángjǐnglù	长颈鹿	giraffe	长颈鹿	长颈鹿

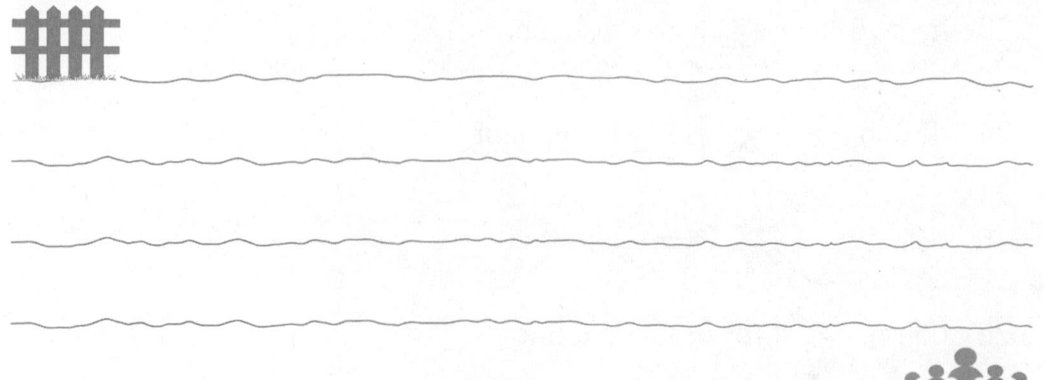

Manmade Related
与物有关

1. 房屋 Housing / Furniture

	拼音	中文	英文	描 红
1	gōngyù	公寓	apartment	公寓 公寓
2	wòshì	卧室	bedroom	卧室 卧室
3	kètīng	客厅	living room	客厅 客厅

房间里有什么？
What are in the room?

4	shūfáng	书房	study room	书房	书房
5	cāntīng	餐厅	dinning room	餐厅	餐厅
6	chúfáng	厨房	kitchen	厨房	厨房
7	wèishēng-jiān	卫生间	bathroom	卫生间	卫生间
8	kōngtiáo	空调	air-conditioner	空调	空调
9	bīngxiāng	冰箱	refrigerator	冰箱	冰箱
10	qǔnuǎnqì	取暖器	heater	取暖器	取暖器
11	jiāshīqì	加湿器	moistener	加湿器	加湿器
12	shāfā	沙发	sofa	沙发	沙发
13	yǐzi	椅子	chair	椅子	椅子
14	zhuōzi	桌子	table	桌子	桌子
15	dìbǎn	地板	floor	地板	地板
16	shuǐguǎn	水管	piper	水管	水管
17	línyù	淋浴	shower	淋浴	淋浴
18	xǐshǒuchí	洗手池	sink	洗手池	洗手池
19	mén	门	door	门	门

20	rùkǒu	入口	gate	入口	入口
21	chuāngkǒu	窗口	window	窗口	窗口
22	shāngdiàn	商店	shop	商店	商店
23	bǎihuò shāngdiàn	百货商店	department store	百货商店	百货商店

2. 衣着 Clothing

您想买什么？ What do you want to buy?

	拼音	中文	英文	描红	
1	màozi	帽子	hat	帽子 帽子	
2	shǒutào	手套	glove	手套	手套
3	wéijīn	围巾	scarf	围巾	围巾
4	chènyī	衬衣	shirt	衬衣 衬衣	
5	qúnzi	裙子	skirt	裙子 裙子	

6	liányīqún	连衣裙	dress	连衣裙 连衣裙	
7	kùzi	裤子	pants	裤子 裤子	
8	duǎnkù	短裤	shorts	短裤	短裤
9	xīzhuāng	西装	business suit	西装	西装
10	qípáo	旗袍	cheongsam	旗袍	旗袍
11	dàyī	大衣	coat	大衣	大衣
12	shuìyī	睡衣	pajamas	睡衣	睡衣
13	máoyī	毛衣	sweater	毛衣	毛衣
14	xiézi	鞋子	shoes	鞋子 鞋子	
15	liángxié	凉鞋	sandal	凉鞋	凉鞋
16	tuōxié	拖鞋	slippers	拖鞋	拖鞋
17	xuēzi	靴子	boots	靴子	靴子

18	wàzi	袜子	socks	袜子	袜子
19	jiākè	夹克	jacket	夹克	夹克
20	shuìdài	睡袋	sleeping bag	睡袋	睡袋
21	máojīn	毛巾	towel	毛巾	毛巾
22	tǎnzi	毯子	blanket	毯子	毯子

3. 器具 Utensils

	拼音	中文	英文	描	红
1	wǎn	碗	bowl	碗	碗
2	kuàizi	筷子	chopsticks	筷子	筷子
3	sháozi	勺子	spoon	勺子	勺子
4	chāzi	叉子	fork	叉子	叉子
5	pánzi	盘子	plate	盘子	盘子
6	bēizi	杯子	cup	杯子	杯子
7	jiǔbēi	酒杯	glass	酒杯	酒杯
8	píngzi	瓶子	bottle	瓶子	瓶子
9	jiǔpíng	酒瓶	wine bottle	酒瓶	酒瓶
10	tāngguō	汤锅	cooking pot	汤锅	汤锅
11	chǎocàiguō	炒菜锅	wok	炒菜锅	炒菜锅
12	cháhú	茶壶	teapot	茶壶	茶壶

4. 工具 Tools

■ 办公用品 Office Supplies

	拼音	中文	英文	描红
1	dāo	刀	knife	刀 刀
2	jiǎndāo	剪刀	scissors	剪刀 剪刀
3	gāngbǐ	钢笔	pen	钢笔 钢笔
4	qiānbǐ	铅笔	pencil	铅笔 铅笔
5	dīngzi	钉子	nail	钉子 钉子

6	chuízi	锤子	hammer	锤子 锤子
7	zhǐ	纸	paper	纸 纸
8	xìn	信	letter	信 信
9	xìnfēng	信封	envelope	信封 信封
10	yóupiào	邮票	postage stamp	邮票 邮票
11	diànhuà	电话	phone/ telephone	电话 电话
12	diànxiàn	电线	electric wire	电线 电线
13	diànnǎo	电脑	computer	电脑 电脑
14	píngmù	屏幕	screen	屏幕 屏幕
15	jiànpán	键盘	keyboard	键盘 键盘
16	dǎyìnjī	打印机	printer	打印机 打印机
17	sǎomiáoyí	扫描仪	scanner	扫描仪 扫描仪

18	chuánzhēnjī	传真机	fax machine	传真机 传真机
19	jìsuànqì	计算器	calculator	计算器 计算器
20	dìngshūjī	订书机	stapler	订书机 订书机
21	zhàoxiàngjī	照相机	camera	照相机 照相机
22	shèxiàngjī	摄像机	video camera	摄像机 摄像机
23	shūzhuō	书桌	desk	书桌 书桌

■ 交通 Transportation

	拼音	中文	英文	描红
1	qìchē	汽车	car	汽车 汽车
2	gōnggòngqìchē	公共汽车	public bus	公共汽车 公共汽车
3	miànbāochē	面包车	van	面包车 面包车
4	kǎchē	卡车	truck	卡车 卡车
5	bānchē	班车	shuttle bus	班车 班车
6	chūzūchē	出租车	taxi	出租车 出租车
7	zìxíngchē	自行车	bicycle	自行车 自行车

8	dìtiě	地铁	subway	地铁 地铁
9	xiǎo chuán	小船	boat	小船 小船
10	fēijī	飞机	airplane	飞机 飞机

5. 食物 / 饮料 Food & Drinks

	拼音	中文	英文	描红
1	chá	茶	tea	茶 茶
2	lǜchá	绿茶	green tea	绿茶 绿茶
3	hóngchá	红茶	black tea	红茶 红茶
4	guǒzhī	果汁	juice	果汁 果汁
5	Xuěbì	雪碧	Sprite	雪碧 雪碧
6	Qīxǐ	七喜	Seven Up	七喜 七喜

7	kělè	可乐	coke	可乐 可乐
8	kuàngquán-shuǐ	矿泉水	mineral water	矿泉水 矿泉水
9	kāfēi	咖啡	coffee	咖啡 咖啡
10	píjiǔ	啤酒	beer	啤酒 啤酒
11	pútáojiǔ	葡萄酒	red wine	葡萄酒 葡萄酒
12	táng	糖	candy	糖 糖
13	shātáng	砂糖	sugar	砂糖 砂糖
14	dàngāo	蛋糕	cake	蛋糕 蛋糕
15	xiā	虾	shrimp	虾 虾
16	shāojī	烧鸡	grilled chicken	烧鸡 烧鸡
17	zhūròu	猪肉	pork	猪肉 猪肉
18	niúròu	牛肉	beef	牛肉 牛肉

19	shūcài	蔬菜	vegetable	蔬菜	蔬菜
20	chǎofàn	炒饭	fried rice	炒饭	炒饭
21	zhǔjīdàn	煮鸡蛋	boiled egg	煮鸡蛋	煮鸡蛋
22	hébāodàn	荷包蛋	fried egg	荷包蛋	荷包蛋
23	qīngzhēngyú	清蒸鱼	steam fish	清蒸鱼 清蒸鱼	
24	Běijīng kǎoyā	北京烤鸭	Beijing roast duck	北京烤鸭 北京烤鸭	
25	gōngbǎo jīdīng	宫保鸡丁	Gongbao chicken	宫保鸡丁 宫保鸡丁	

6. 表演 Performance

	拼音	中文	英文	描	红
1	yǎnchū	演出	performance	演出	演出
2	diànyǐng	电影	movie	电影	电影
3	huàjù	话剧	modern drama	话剧	话剧
4	gējù	歌剧	opera	歌剧	歌剧
5	bēijù	悲剧	tragedy	悲剧	悲剧
6	xǐjù	喜剧	comedy	喜剧	喜剧
7	jīngjù	京剧	Peking opera	京剧	京剧
8	dúchàng	独唱	solo	独唱	独唱
9	héchàng	合唱	chorus	合唱	合唱
10	wǔdǎo	舞蹈	dance	舞蹈	舞蹈

11	líng	铃	bell	铃	铃
12	gǔ	鼓	drum	鼓	鼓
13	hào	号	trumpet	号	号
14	jítā	吉他	guitar	吉他	吉他
15	gāngqín	钢琴	piano	钢琴	钢琴
16	xiǎotíqín	小提琴	violin	小提琴	小提琴
17	dàtíqín	大提琴	cello	大提琴	大提琴
18	diànzǐqín	电子琴	electronic organ	电子琴	电子琴
19	dǎjīyuè	打击乐	percussion	打击乐	打击乐
20	jiāoxiǎngyuè	交响乐	symphony	交响乐	交响乐
21	tuōkǒuxiù	脱口秀	talk show	脱口秀	脱口秀
22	yuèduì	乐队	band	乐队	乐队
23	guānzhòng	观众	audience	观众	观众
24	jùchǎng	剧场	theater	剧场	剧场
25	gōngyuán	公园	park	公园	公园
26	wǔtái	舞台	stage	舞台	舞台
27	diànyǐngyuàn	电影院	movie theater	电影院	电影院

7. 文学 / 艺术 Literature / Art

	拼音	中文	英文	描	红
1	guǎngbō	广播	broadcast	广播	广播
2	diànshì	电视	TV	电视	电视
3	wǎngluò	网络	network	网络	网络
4	bàozhǐ	报纸	newspaper	报纸	报纸
5	zázhì	杂志	magazine	杂志	杂志
6	shūfǎ	书法	calligraphy	书法	书法
7	diāosù	雕塑	sculpture	雕塑	雕塑
8	nísù	泥塑	clay sculpture	泥塑	泥塑
9	cìxiù	刺绣	embroidery	刺绣	刺绣
10	shèyǐng	摄影	photography	摄影	摄影
11	xìjù	戏剧	play	戏剧	戏剧
12	yóuhuà	油画	oil painting	油画	油画
13	guóhuà	国画	traditional Chinese painting	国画 国画	
14	sùmiáo	素描	sketch	素描	素描
15	bǎnhuà	版画	block print	版画	版画

16	shuǐcǎihuà	水彩画	watercolor painting	水彩画 水彩画	
17	xiǎoshuō	小说	novel	小说	小说
18	shīgē	诗歌	poetry	诗歌	诗歌
19	sǎnwén	散文	prose	散文	散文
20	xīnwén	新闻	news	新闻	新闻
21	guǎnggào	广告	advertisement	广告	广告
22	shū	书	book	书	书
23	kè zhāng	刻章	engrave a seal	刻章	刻章
24	fēngzhēng	风筝	kite	风筝	风筝
25	zhǎnlǎn	展览	exhibit	展览	展览
26	túshūguǎn	图书馆	library	图书馆	图书馆
27	bówùguǎn	博物馆	museum	博物馆	博物馆

Others
其 他

1. 数字 Numbers

	拼音	中文	英文	描	红
1	yī	一	one	一	一
2	èr	二	two	二	二
3	sān	三	three	三	三
4	sì	四	four	四	四
5	wǔ	五	five	五	五
6	liù	六	six	六	六
7	qī	七	seven	七	七
8	bā	八	eight	八	八
9	jiǔ	九	nine	九	九

10	shí	十	ten	十	十
11	shíyī	十一	eleven	十一	十一
12	shí'èr	十二	twelve	十二	十二
13	shísān	十三	thirteen	十三	十三
14	shísì	十四	fourteen	十四	十四
15	shíwǔ	十五	fifteen	十五	十五
16	èrshí	二十	twenty	二十	二十
17	sānshí	三十	thirty	三十	三十
18	sìshí	四十	forty	四十	四十
19	wǔshí	五十	fifty	五十	五十
20	bǎi	百	hundred	百	百
21	qiān	千	thousand	千	千
22	bǎiwàn	百万	million	百万	百万
23	shí yì	十亿	billion	十亿	十亿

2. 时间 Time

	拼音	中文	英文	描	红
1	zǎoshang	早上	morning	早上	早上
2	shàngwǔ	上午	morning	上午	上午
3	xiàwǔ	下午	afternoon	下午	下午
4	bàngwǎn	傍晚	evening	傍晚	傍晚
5	wǎnshang	晚上	evening / night	晚上	晚上
6	bànyè	半夜	midnight	半夜	半夜

3. 星期 / 月份 Weeks & Months

	拼音	中文	英文	描 红
1	xīngqīyī	星期一	Monday	星期一 星期一
2	xīngqī'èr	星期二	Tuesday	星期二 星期二
3	xīngqīsān	星期三	Wednesday	星期三 星期三
4	xīngqīsì	星期四	Thursday	星期四 星期四
5	xīngqīwǔ	星期五	Friday	星期五 星期五
6	xīngqīliù	星期六	Saturday	星期六 星期六
7	xīngqīrì/tiān	星期日/天	Sunday	星期日 / 天 星期日 / 天
8	yīyuè	一月	January	一月 一月
9	èryuè	二月	February	二月 二月
10	sānyuè	三月	March	三月 三月
11	sìyuè	四月	April	四月 四月

12	wǔyuè	五月	May	五月	五月
13	liùyuè	六月	June	六月	六月
14	qīyuè	七月	July	七月	七月
15	bāyuè	八月	August	八月	八月
16	jiǔyuè	九月	September	九月	九月
17	shíyuè	十月	October	十月	十月
18	shíyīyuè	十一月	November	十一月	十一月
19	shí'èryuè	十二月	December	十二月	十二月

4. 颜色 Colors

	拼音	中文	英文	描	红
1	hēisè	黑色	black	黑色	黑色
2	báisè	白色	white	白色	白色
3	hóngsè	红色	red	红色	红色
4	huángsè	黄色	yellow	黄色	黄色
5	lǜsè	绿色	green	绿色	绿色
6	lánsè	蓝色	blue	蓝色	蓝色
7	zǐsè	紫色	purple	紫色	紫色
8	huīsè	灰色	grey	灰色	灰色
9	fěnsè	粉色	pink	粉色	粉色
10	júhuángsè	橘黄色	orange	橘黄色	橘黄色
11	kāfēisè	咖啡色	coffee	咖啡色	咖啡色

12	jīnsè	金色	gold	金色	金色
13	yínsè	银色	silver	银色	银色
14	shēnsè	深色	dark	深色	深色
15	qiǎnsè	浅色	light	浅色	浅色

5. 方向 Directions

	拼音	中文	英文	描	红
1	dōng	东	east	东	东
2	nán	南	south	南	南
3	xī	西	west	西	西
4	běi	北	north	北	北
5	dōngběi	东北	northeast	东北	东北
6	xīběi	西北	northwest	西北	西北
7	dōngnán	东南	southeast	东南	东南
8	xīnán	西南	southwest	西南	西南
9	shàngmian	上面	up	上面	上面
10	xiàmian	下面	down	下面	下面
11	qiánmian	前面	front	前面	前面

12	hòumian	后面	behind	后面	后面
13	zuǒmian	左面	left	左面	左面
14	yòumian	右面	right	右面	右面
15	lǐmian	里面	inside	里面	里面
16	wàimian	外面	outside	外面	外面
17	zhōngjiān	中间	middle	中间	中间

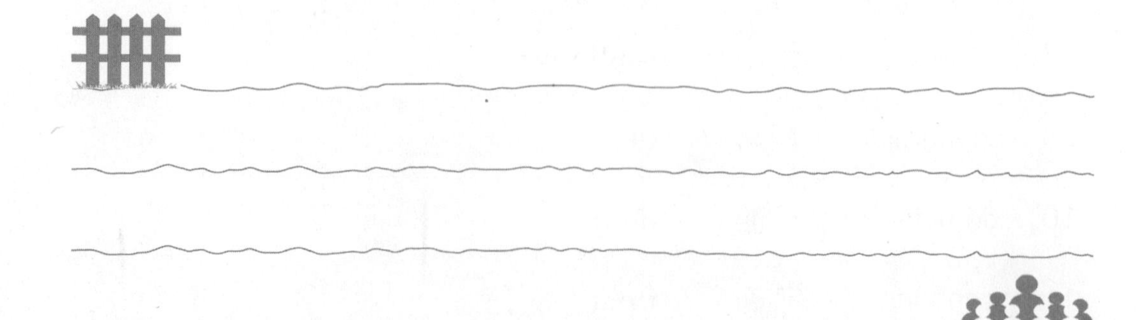

6. 量词 Measure Words (MW)

	拼音	中文	描红	英文	描 红
1	gè	个	个	general measure word	一个苹果
2	jiàn	件	件	MW for top cloth	一件衣服
3	gǔ	股	股	MW for wind, air	一股香味
4	běn	本	本	MW for books	一本书
5	píng	瓶	瓶	bottle	一瓶酒
6	tǒng	桶	桶	bucket	一桶油
7	liàng	辆	辆	MW for cars	一辆车
8	gēn	根	根	MW for something long: grass, carrot, tree branch, chopstick, candle, belt, etc.	一根胡萝卜
9	tái	台	台	MW for TVs, computers	一台电脑
10	bēi	杯	杯	cup	一杯茶
11	zhī	只	只	general measure word for animals	一只狗
12	shàn	扇	扇	MW for doors, windows	一扇门
13	duǒ	朵	朵	MW for flowers, clouds	一朵花

14	qún	群	群	group	一群人
15	zhèn	阵	阵	MW for air, sound	一阵风
16	bǎ	把	把	MW for a handful of things, or tools with handle: an umbrella, a knife, etc.	一把钉子
17	zhǒng	种	种	kind	一种颜色
18	fēng	封	封	MW for letters	一封信
19	zuò	座	座	MW for mountains, architectures	一座山
20	bù	部	部	MW for movies, TV series, book series	一部电影
21	shuāng	双	双	pair	一双鞋
22	zhī	支	支	MW for a pen, pencil, etc.	一支笔
23	piàn	片	片	MW for one slice	一片面包
24	zhāng	张	张	MW for flat things like paper, newspaper, tables	一张纸
25	jīn	斤	斤	MW for weight	一斤梨子

26	tiáo	条	条	MW for something long: rivers, fish	一条河
27	jiān	间	间	MW for rooms	一间房间
28	chuàn	串	串	string	一串珠子
29	bǐ	笔	笔	MW for money, business, account	一笔钱
30	kē	棵	棵	MW for trees and grasses	一棵树

7. 形容词 Adjectives

	拼音	中文	英文	描红	
1	dà	大	big	大	大
2	xiǎo	小	small	小	小
3	kuài	快	fast	快	快
4	màn	慢	slow	慢	慢

你有多高？
How tall are you?

谁最胖？谁最瘦？
Who is the fattest?
Who is the thinnest?

5	pàng	胖	fat	胖	胖
6	shòu	瘦	thin	瘦	瘦
7	gāo	高	tall	高	高
8	ǎi	矮	short	矮	矮

天气有多热？ How hot is it?

9	dī	低	low	低	低
10	gān	干	dry	干	干
11	shī	湿	wet	湿	湿
12	hánlěng	寒冷	cold	寒冷	寒冷
13	wēnnuǎn	温暖	warm	温暖	温暖
14	jiào shǎo	较少	less	较少	较少
15	gèng duō	更多	more	更多	更多

English Index

英文索引

D

E

R

S

T

U

Pinyin Index

拼音索引

D

E

R

S

Y

Z